Pour Jeanne et Charlotte

ISBN : 978-2-211-08638-7
Première édition dans la collection *lutin poche* : octobre 2006
© 2006, l'école des loisirs, Paris, pour l'édition en *lutin poche*
© 2005, Kaléidoscope, Paris
Loi numéro 49 956 du 16 juillet 1949 sur les publications
destinées à la jeunesse : mars 2005
Dépôt légal : août 2008
Imprimé en France par Clerc s.a.s. à Saint-Amand-Montrond

Geoffroy de Pennart

LE LOUP, LA CHÈVRE
ET LES 7 CHEVREAUX

Kaléidoscope
lutin poche de l'école des loisirs
11, rue de Sèvres, Paris 6ᵉ

Ce jour-là, Igor sort de chez lui en chantonnant.
« Cette journée sera mémorable ! »
se dit-il en montant dans sa voiture.

Et, le sourire aux lèvres, il part pour la ville.

Il va d'abord chez l'épicier…

… puis chez Bellepatte, le chausseur.

Il fait quelques emplettes dans la boutique de Viviane

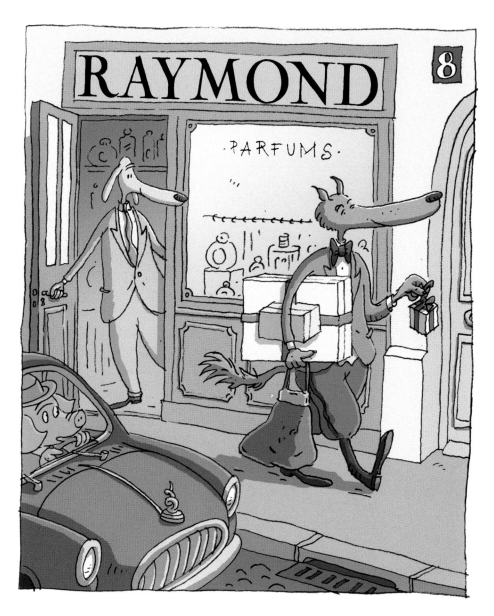

et termine par Raymond, le parfumeur.

Ses achats terminés, Igor quitte la ville, gagne les bois
et gare sa voiture derrière un bosquet, à l'abri des regards.

« Pom-pom-pom ! »
chantonne-t-il en retirant soigneusement ses habits.

« Tralala, une bonne douche de farine… »

« Tagada tsoin-tsoin, enfilons cette jolie robe… »

« … et ces coquets escarpins …

… un soupçon
de *Fleur de Chavignol*
et me voici fin prêt. »

Igor se dirige ensuite vers la maison
de la famille Broutchou.

Peu de temps après, Madame Broutchou sort de chez elle
en disant : « Je vais au marché. N'ouvrez à personne,
et surtout, prenez garde au loup ! »
Puis elle enfourche sa motocyclette.

« Elle est partie ! À moi de jouer,
à moi les biquets ! » jubile Igor.

« Ouvrez vite, mes petits », crie-t-il
en imitant la voix de la chèvre,
« le loup est dans la forêt ! »

Trompés par son déguisement,
les chevreaux lui ouvrent la porte.
« ET MAINTENANT IL EST DANS LA MAISON ! »
ajoute gaiement Igor de sa grosse voix.

Goulûment, il se jette vers les biquets.
Mais, dans sa précipitation, il se tord la cheville,
s'empêtre dans sa robe…

… et vient s'écraser violemment contre le mur.
« Maudites chaussures ! Maudite robe ! » a-t-il le temps
de penser avant de perdre connaissance.

« Il faut téléphoner à papa ! » s'écrient les chevreaux.
Puis ils courent se réfugier à l'étage.

Monsieur Broutchou arrive au moment précis
où Igor commence à reprendre ses esprits.

Il le secoue par les épaules.
« Où sont mes enfants ? » gronde-t-il.
Au même instant, Madame Broutchou rentre du marché.

« Henri ! Que fait cette femme dans tes bras ? »
Surpris, Monsieur Broutchou lâche le loup,
qui s'écrase par terre.

« Explique-toi, Henri ! » s'énerve Madame Broutchou.
« C'est le loup ! C'est le loup ! »
s'écrient les chevreaux en dévalant les escaliers.

« Taisez-vous les enfants, je parle à votre père ! »
Igor en profite pour prendre ses jambes à son cou.

Madame Broutchou comprend sa méprise.

Elle serre ses enfants dans ses bras.
« Mes pauvres chéris, comme vous avez dû avoir peur ! »

Quant à Igor, jamais il ne parla
de cette journée « mémorable » !